Pourquoi tout le monde n'a pas le même Dieu ?
pages **12-13**

Le pape est-il le chef des croyants ?
pages **14-15**

...de Ma... ...t souvent « Inch'Allah » ?
pages **16-17**

Pourquoi Farid ne mange-t-il jamais de jambon ?
pages **22-23**

Pourquoi Jésus est-il sur une croix ?
pages **24-25**

Pourquoi n'y a-t-il pas école le jeudi de l'Ascension ?
pages **32-33**

Est-ce qu'on va au paradis quand on est mort ?
pages **34-35**

Dieu aime-t-il les œuvres d'art ?
pages **36-37**

Suivi éditorial : Sandrine Pennard-Landeau
Réécriture et correction : Karine Forest
Mise en pages : Sylvaine Collart
Conception graphique : Emma Rigaudeau

editionsmilan.com

ISBN : 978-2-7459-5408-4 – Dépôt légal : 1er trimestre 2017 – Imprimé en Chine

les religions

Textes de **Pascale Hédelin**
Illustrations de **Julie Faulques**

MiLAN

Est-ce que tout le monde a une religion ?

Avoir une religion, c'est croire en Dieu, organiser sa vie en fonction de ses croyances et faire partie d'une communauté de croyants. À travers le monde, les hommes ont diverses religions... ou n'en ont pas.

Comment le monde est-il apparu ? Qu'y a-t-il après la mort ? Pourquoi existe-t-on ? Depuis des milliers d'années, les hommes s'interrogent sur ces grands **mystères**. Les religions leur apportent des explications. Et elles les aident à distinguer ce qui est bien de ce qui est mal.

On appelle « croyants » ou « fidèles » ceux qui sont attachés à une religion. Les plus nombreux, les **monothéistes**, croient en un Dieu unique. Pour les **polythéistes**, il y a plusieurs dieux. Les **athées**, eux, sont persuadés qu'aucun dieu n'existe. D'autres gens ne sont sûrs de rien : ils estiment qu'on ne peut pas savoir.

Léo est Scorpion : est-ce que c'est sa religion ?

Non, c'est son signe astrologique ! L'astrologie n'est liée à aucun dieu. Selon cette croyance, les étoiles et les planètes influencent notre caractère et les événements de notre vie.

7

Dieu habite-t-il dans le ciel ?

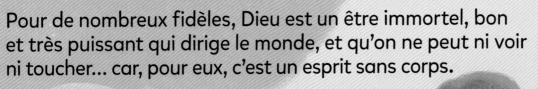

Pour de nombreux fidèles, Dieu est un être immortel, bon et très puissant qui dirige le monde, et qu'on ne peut ni voir ni toucher... car, pour eux, c'est un esprit sans corps.

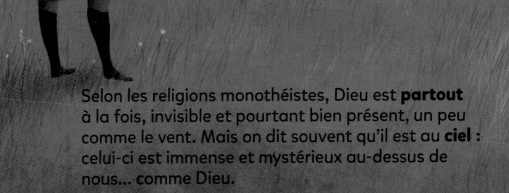

Selon les religions monothéistes, Dieu est **partout** à la fois, invisible et pourtant bien présent, un peu comme le vent. Mais on dit souvent qu'il est au **ciel** : celui-ci est immense et mystérieux au-dessus de nous... comme Dieu.

Dans d'autres croyances, polythéistes, les dieux vivent à la cime de **montagnes** sacrées, inaccessibles et très respectées. Tu vois, c'est tout en haut qu'on trouve les dieux !

Comme il est impossible de représenter un esprit, qui n'a pas de forme, on montre rarement Dieu. Des religions l'interdisent même. Parfois on décrit un **vieil homme barbu** ou des dieux mi-hommes mi-bêtes.

Est-ce que Dieu existe vraiment ?

Très peu de gens affirment l'avoir vu ou entendu. Certains sentent sa présence et sont sûrs qu'il existe. Mais personne n'en a la preuve. On ne peut donc pas répondre à cette question !

9

Dieu peut-il être méchant ?

Certains l'appellent « le bon Dieu ». Pour beaucoup,
il est plein de sagesse et d'amour, et il plaint les malheureux.
Mais on le craint aussi parfois...

Les croyants disent que Dieu a créé la Terre, l'Univers et tout ce qui vit.
Pour eux, Dieu aime tous les êtres, même ceux qui ne croient pas en lui.
Il veut aussi que tous les hommes vivent en **paix**.

Dieu n'est pas un magicien ! Il ne contrôle pas les catastrophes, les maladies, la misère... Si des innocents souffrent, ce n'est pas sa faute. Aux hommes d'être bons et de **s'entraider**.

Cependant, s'ils se conduisent trop mal, leur Dieu peut se fâcher et les punir. Les uns croient qu'un jour il a provoqué une inondation géante : le **Déluge**. D'autres disent que leur Dieu a enflammé le ciel et brûlé la terre.

Dieu voit-il tout ce que je fais ?

Pour les croyants, Dieu sait, entend et voit tout ce qu'on fait et tout ce qu'on pense. Mais il ne nous surveille pas ! Il veille discrètement sur chacun de nous et respecte nos secrets.

Pourquoi tout le monde n'a pas le même Dieu ?

À chacun ses croyances! Les religions sont liées à l'histoire et aux traditions d'un pays, d'un peuple. Souvent, elles sont transmises par les parents à leurs enfants.

Dans une même ville, tu peux croiser des gens de toutes les religions. Ça ne les empêche pas de vivre ensemble! Quand on respecte les croyances des autres sans les forcer à avoir les siennes, on est **tolérant**.

La France est un pays **laïc** : elle ne dépend d'aucune religion, chacun est libre de pratiquer ou non celle de son choix. D'autres pays obligent les habitants à avoir une religion et pas une autre.

Certains fidèles, les **fanatiques**, sont persuadés que leur religion est la seule vraie et veulent l'imposer aux autres. Cela crée des guerres terribles. Ils y croient si fort qu'ils sont prêts à tuer ou à mourir pour cela.

Peut-on changer de religion ?

Parfois c'est possible, si une autre répond mieux à nos questions. Cela s'appelle « se convertir ». Il arrive aussi que des croyants n'aient plus confiance en Dieu et cessent de croire en lui : ils perdent la foi.

Le pape est-il le chef des croyants ?

Le christianisme est divisé en 3 religions : catholique, protestante et orthodoxe. Tous ces croyants ont foi en un Dieu unique et en son fils Jésus. Ils lisent la Bible, un livre qui rapporterait ses paroles. Mais seuls les catholiques obéissent au pape, leur chef.

Le pape vit au Vatican, en Italie. Il guide les **catholiques** du monde dans la pratique de leur religion. Le dimanche, il s'adresse à eux, prie, puis les bénit : de cette façon, il leur offre la protection de Dieu.

Les prêtres catholiques ont un rôle important et des pouvoirs sacrés. Grâce à eux, le jour de la **première communion**, les enfants se sentent unis à Jésus.

Le dimanche, les **protestants** se réunissent au temple, un bâtiment décoré simplement. Ils y chantent et y prient sous la conduite du pasteur. Homme ou femme, celui-ci est un fidèle comme les autres et peut se marier.

Les **orthodoxes** vénèrent, c'est-à-dire aiment avec grand respect, des images peintes par des religieux : les icônes. Les cérémonies menées par les prêtres orthodoxes sont riches et impressionnantes !

Pourquoi la maman de Malika dit souvent « Inch'Allah » ?

Les musulmans ont pour religion l'islam. Leur Dieu unique s'appelle Allah et ils lui doivent obéissance. La prière a une grande place dans leur vie.

Dans la religion musulmane, on pense qu'une nuit Allah a révélé son existence à **Mahomet**, un marchand arabe. Par la voix d'un ange, il lui a dit comment être juste, bon et le servir. Mahomet a transmis cela aux hommes, devenant un **prophète**, un messager de Dieu. Il est interdit de représenter son visage.

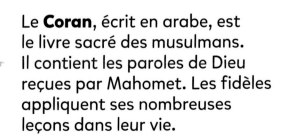

Le **Coran**, écrit en arabe, est le livre sacré des musulmans. Il contient les paroles de Dieu reçues par Mahomet. Les fidèles appliquent ses nombreuses leçons dans leur vie.

Quand les musulmans arabes
espèrent quelque chose,
par exemple qu'il fera beau,
ils ajoutent « Inch'Allah ».
Cela signifie « Si Dieu le veut »,
car pour eux **Allah** décide
de tout.

Les musulmans prient 5 fois par jour.
Dans une mosquée, dirigée par un
imam, ou ailleurs sur un petit tapis,
ils se tournent vers **La Mecque**,
située en Arabie saoudite.
Ce lieu sacré est le but d'un voyage
très important, le pèlerinage.

Pourquoi Élie ne vient-il pas jouer au foot le samedi ?

Dans les 3 religions monothéistes, il y a un jour dans la semaine consacré au repos et à la prière. C'est le vendredi chez les musulmans, le dimanche chez les chrétiens... et le samedi chez les juifs.

Élie est juif. Pour lui, le samedi, c'est « **shabbat** » : pas de devoirs, de télé, de jeux vidéo... ni de sport. Sa famille se réunit, prie et pense très fort à Dieu.

Ensemble, ils vont à la synagogue écouter le **rabbin** : ce chef religieux lit et commente des passages de la Torah, le livre sacré des juifs.

Tu penses peut-être que toutes ces obligations sont embêtantes, mais pour les croyants elles sont très **importantes**.

Le **judaïsme** est une religion très ancienne. Les ancêtres des juifs ont été les premiers à croire en un Dieu unique, Yahvé.

Qu'est-ce que ça veut dire, « antisémite » ?

Un antisémite est raciste envers les juifs : il les méprise et les déteste. Pendant la Seconde Guerre mondiale, les nazis ont ainsi massacré des millions d'hommes, de femmes et d'enfants juifs.

Est-ce qu'on peut offrir des cadeaux à Dieu ?

En Asie, de nombreux fidèles font des offrandes aux dieux : ils leur déposent de la nourriture, des fleurs... dans des lieux sacrés. Les dieux ne prennent pas directement ces cadeaux, mais on pense que cela leur plaît et prouve qu'on les respecte.

En Inde, les **hindouistes** ont une foule de divinités aux pouvoirs variés : protection, chance, richesse... Cette famille place des fruits devant la statue de Ganesh, dieu éléphant de la Sagesse, en espérant qu'il aidera leur fille à faire un beau mariage.

Les **bouddhistes** vénèrent Bouddha, un sage qui vivait autrefois en Inde. Ils suivent son exemple : pour être heureux et cesser de souffrir, il faut être bon, mener une vie simple et renoncer à tout ce qui fait envie. Souvent, ils lui offrent de l'encens : ces baguettes parfumées brûlent et leur fumée monte au ciel.

Au Japon, les **shintoïstes** croient que le soleil, les animaux, les montagnes, les lacs... sont des divinités, les kamis. Pour qu'elles les protègent et pour chasser les mauvais esprits, ils leur déposent du riz ou du poisson séché par exemple.

21

Pourquoi Farid ne mange-t-il jamais de jambon ?

Chaque religion a ses propres règles, que les croyants respectent.
Elles s'appliquent dans la vie de tous les jours et lors de cérémonies,
qui célèbrent des événements importants. Cela unit les fidèles.

Le **baptême** permet à un enfant ou à un adulte
de devenir chrétien : un religieux l'asperge d'eau
bénite. Pour devenir juif ou musulman, le petit
garçon est **circoncis** : on lui coupe un peu de peau
au bout du zizi.

L'islam interdit de manger du cochon, considéré comme un animal **impur** : sale et mauvais pour la santé. Donc, pas de jambon pour Farid, qui est musulman. Les autres animaux, comme le mouton, sont abattus selon des règles précises. La viande, dite « halal », peut alors être consommée par les fidèles.

Par respect envers Dieu, les hommes juifs ont souvent un petit bonnet sur la tête : la **kippa**. Certaines femmes musulmanes portent un **voile**, car la tradition veut qu'elles se cachent les cheveux ou le visage. Les sikhs, originaires d'Inde, doivent se couvrir la tête d'un **turban**.

Pourquoi Jésus est-il sur une croix ?

Il y a environ 2 000 ans, dans un pays appelé la Judée, un homme est apparu : Jésus. Sa vie, ses paroles et sa mort ont donné naissance à la religion chrétienne, dont le symbole est la croix.

Dans la tradition chrétienne, une jeune femme, la **Vierge Marie**, a porté en elle un enfant conçu par Dieu. Elle a ainsi mis au monde Jésus, fils de Dieu.

Selon les chrétiens, Dieu a envoyé Jésus sur Terre pour **sauver les hommes**. Ceux-ci vivaient dans le péché : ils ne respectaient pas sa volonté. Jésus leur a dit de s'aimer, de s'entraider, de pardonner à ceux qui leur faisaient du mal et de partager avec les pauvres. Son message a touché beaucoup de monde !

Jésus dérangeait les dirigeants du pays et les religieux, car il remettait en cause l'ordre établi. Il a été condamné à être **crucifié**, cloué sur une croix. On dit que, 3 jours après sa mort, il a ressuscité : il est redevenu vivant. Il a demandé à ses compagnons, les apôtres, de répandre sa parole dans le monde, puis est monté au ciel rejoindre Dieu.

Pourquoi faut-il parler tout bas dans une église ?

Ce grand bâtiment de pierre peut te sembler mystérieux, impressionnant même. C'est dans ce lieu sacré que les catholiques célèbrent leurs cérémonies religieuses.

Les statues, les tableaux et les fenêtres colorées appelées « vitraux » montrent la vie de Jésus, de Marie et des **saints** : ces hommes et femmes ont eu une vie exemplaire, offerte à Dieu, et ont suivi les enseignements de Jésus.

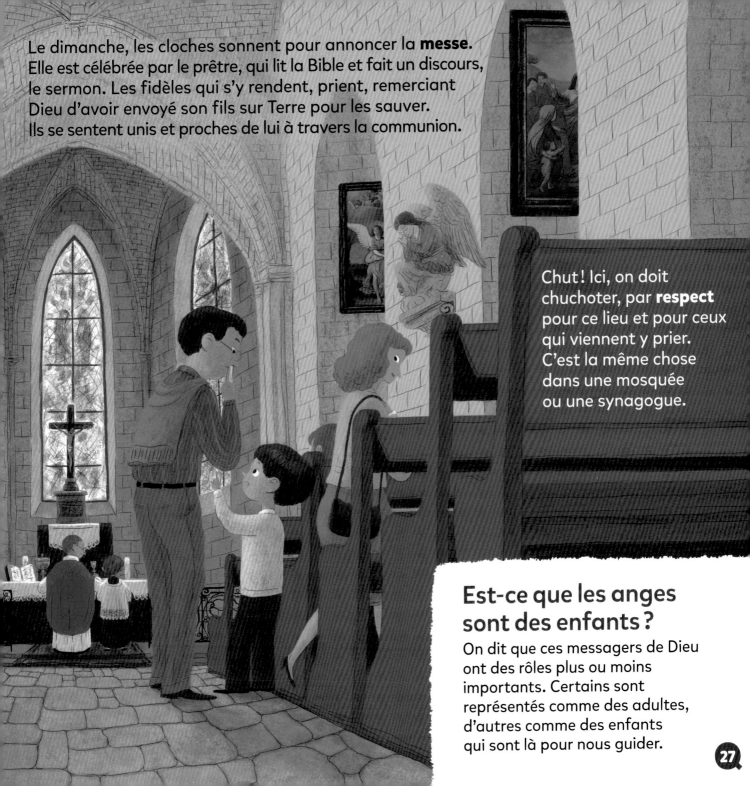

Le dimanche, les cloches sonnent pour annoncer la **messe**.
Elle est célébrée par le prêtre, qui lit la Bible et fait un discours,
le sermon. Les fidèles qui s'y rendent, prient, remerciant
Dieu d'avoir envoyé son fils sur Terre pour les sauver.
Ils se sentent unis et proches de lui à travers la communion.

Chut ! Ici, on doit chuchoter, par **respect** pour ce lieu et pour ceux qui viennent y prier. C'est la même chose dans une mosquée ou une synagogue.

Est-ce que les anges sont des enfants ?

On dit que ces messagers de Dieu ont des rôles plus ou moins importants. Certains sont représentés comme des adultes, d'autres comme des enfants qui sont là pour nous guider.

Est-ce que toutes les prières se réalisent ?

Les croyants de toutes les religions prient. C'est un moyen de communiquer avec son Dieu : on s'adresse à lui pour lui rendre hommage ou demander son aide.

On prie dans un **lieu de culte** – église, temple, mosquée, synagogue... – avec les autres fidèles, à un moment précis. Mais on le fait aussi tout seul, ou en famille, quand on veut et où l'on veut.

Mais toutes les prières ne se réalisent pas !
On pense que Dieu a ses raisons de nous écouter
ou pas, et on ne comprend pas toujours pourquoi.
Et puis les hommes doivent aussi **agir**
par eux-mêmes !

Selon sa religion, on prie
debout ou à genoux, les yeux
fermés ou pas, les mains jointes
ou ouvertes. On prie pour soi,
pour soutenir quelqu'un qui
souffre, pour que le monde
soit en paix... On prie aussi
pour que les morts soient
heureux là où ils sont.

Que dit-on quand on fait sa prière ?

Certains récitent des textes
appris par cœur dans les livres
de prières, d'autres préfèrent
employer tout simplement
des mots à eux. Et l'on peut prier
dans sa tête, sans parler !

Pourquoi les religieux portent-ils un costume spécial ?

Lorsque des hommes et des femmes ont choisi de consacrer leur vie à la religion, leurs tenues les distinguent, un peu comme des uniformes. Elles sont souvent simples pour montrer qu'ils se sentent peu importants face à la grandeur de Dieu.

Tous dirigent les **cérémonies**, enseignent leur religion, conseillent les fidèles dans leur vie... Certains portent la barbe, en signe de sagesse. Reconnais-tu le prêtre catholique, le pasteur, le prêtre orthodoxe, l'imam et le rabbin ?

Les moines et les religieuses catholiques vivent à l'écart, rassemblés dans des **monastères**. Ils ont une vie simple et passent beaucoup de temps à prier. Une partie d'entre eux s'occupent d'aider les pauvres, les malades ou encore les enfants malheureux dans le monde.

Des peuples proches de la nature, comme ces Indiens d'Amazonie, font appel au **chaman** : il est à la fois prêtre, médecin et sorcier. Son costume sacré lui permet de communiquer avec les « esprits » de la nature ou des morts. Il aide ainsi les autres.

Est-ce qu'on va au paradis quand on est mort ?

Selon de nombreux croyants, chacun a une âme : une sorte d'esprit qui contient la vie, les pensées et les sentiments. D'après eux, la mort n'est pas une fin : l'âme se sépare du corps et continue de vivre à sa manière. Pour les athées, la vie s'arrête tout simplement...

Les chrétiens et les musulmans pensent que, si l'on a vécu en respectant les lois de Dieu, l'âme va au **paradis**, le royaume de Dieu. C'est un endroit merveilleux, au ciel, comme un grand jardin où l'on est heureux pour toujours.

Dans beaucoup de religions, lorsqu'on a vécu en faisant du mal, on est puni après sa mort. Pour les catholiques, l'âme souffre alors pour toujours en **enfer**. On a longtemps représenté cela comme un lieu brûlant dirigé par le diable.

Les bouddhistes et les hindouistes croient en la **réincarnation** : quand on meurt, l'âme va dans le corps d'un autre humain ou d'un animal. Si on a été bon, notre nouvelle vie sera meilleure. Si on a été mauvais, elle sera difficile. Chacun a ainsi de nombreuses vies.

Dieu aime-t-il les œuvres d'art ?

Depuis des siècles, on réalise des œuvres d'art en l'honneur des dieux. Ceux-ci aiment ce qui est beau, en tout cas c'est ce que pensent les hommes. Tu peux en voir au musée, dans des livres, dans la rue... partout !

Regarde : de nombreux tableaux chrétiens représentent des **scènes de la Bible**, comme *La Descente de Croix* du peintre italien Fra Angelico. Autrefois, cela permettait d'enseigner la religion à ceux qui ne savaient pas lire.

À travers leurs **œuvres**, les artistes veulent montrer que leur Dieu est parfait et exprimer le bonheur qu'ils ont de croire en lui. Elles peuvent aussi donner envie à d'autres de devenir croyants.

Pour célébrer leur religion, les hommes **créent** des sculptures, des bâtiments, inventent des danses, des musiques, des poèmes... Et cela dans le monde entier !

Où sont passés les dieux des Égyptiens ?

Les Égyptiens ont été envahis par différents peuples dont les Romains. Peu à peu, ils ont changé leur façon de vivre et ont cessé de croire en leurs dieux. Mais ceux-ci existent peut-être toujours...

Découvre les autres titres de la collection

 l'école élémentaire

 Paris

 les oiseaux

 la liberté

 les inventions

 les cheveux et les poils

 Lyon

 la famille

 les gros mots

 le Moyen Âge

 la ferme

 la danse

 boire et manger

 les voitures

 l'eau

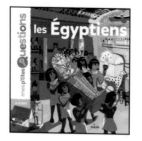 les Égyptiens

 la montagne

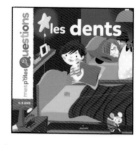 les dents

 le football

 les riches et les pauvres

 les loups

 bobos et maladies

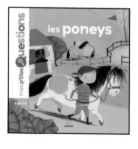 les poneys